Bienvenue chez Cacahouète, Pouët-Pouët et Patatras

Pouët-Pouët ! Ça y est, on est réveillés ! On va se promener ?
Hein… Quoi ? Déjà ?

Aaaah...
Oh, je sens
que tu as vraiment besoin
de lire une histoire, toi,
pour te réveiller !

Regarde, je suis un pingouin !
p.8
Atchoum Tchà
p.32
La légende d'Hector le lombric
p.35
Lou le loup
p.6
SMACK!
Au lit, petit rond rouge !
p.44

Scénario : Marie-Hélène Gros. Illustrations : Tor Freeman.

Voilà
Lou le loup !
Attention, cachez-vous !

Croc !
Croc !
Croc !
1. Aujourd'hui, Lou le loup
a une drôle de maladie.

Croc !
Croc !
Croc !
2. Il veut tout croquer,
même les cailloux !

Croc !
Croc !
Croc !
3. Attention les animaux,
cachez-vous !

Croc! Croc! Croc!

4. Attention, Petite Louve !

SMACK!

5. Mais Petite Louve fait un gros bisou à Lou.

6. Lou le loup se sent mieux, d'un coup !

7. Il dit : « Maman, Maman, je suis guéri ! »

Scénario : Hervé Sécher. Illustrations : Catherine Proteaux.

ta
GRANDE
histoire

Regarde, je suis un pingouin !

Texte : Stéphane Bataillon.
Illustrations : Claudia Bielinsky.

7 h 20, c'est le matin !
« Bonjour Papa Pingouin ! s'exclame Thomas.
Aujourd'hui, on est la famille Pingouin
et je suis Petit Pingouin ! »
« Ah bon ? » s'étonne Papa.
« Oui oui ! » répond Thomas Petit Pingouin
avec un sourire aussi brillant
que le soleil du matin.

OSoS

« Tu veux un verre de lait chaud ? » demande Papa.
« Non non ! Les pingouins, ça boit
de L'EAU DE MER FROIDE ! »
répond Petit Pingouin
en allant chercher
une bouteille d'eau
dans le frigo.

« Tu mets ton blouson rouge, aujourd'hui ? » propose Papa.
« Non non ! Les pingouins ont déjà un duvet bien chaud, explique Petit Pingouin. Encore PLUS CHAUD que le blouson rouge ! »
« Heu… oui, hésite Papa. Mais il fait SI FROID aujourd'hui, que tous les pingouins devraient quand même mettre un blouson rouge. »
« Bon… d'accord » accepte Petit Pingouin.

« Allez, dit Papa, dépêche-toi Petit Pingouin, sinon on va être en retard à l'école. On fait la course ? »
« Non non ! s'écrie Petit Pingouin en ouvrant les bras. On prend l'avion. On part au PÔLE NORD ! »
« Bon… d'accord… accepte Papa. À partir de maintenant, on est VRAIMENT des pingouins ! »

« Bouclez vos ceintures ! » annonce Papa Pingouin.
« Youhouou ! On décolle ! crie Petit Pingouin.
On va plus vite que tous les autres avions.
C'est NOUS, les champions ! »

1

« OUIII ! » ajoute Papa Pingouin
avec un sourire presque aussi grand que le ciel.

« Oh ! Je vois de la glace ! s'émerveille
Petit Pingouin en montrant le sol du doigt. »
« Et là, il y a plein de phoques ! ajoute Papa Pingouin.
Ça, ça veut dire qu'on est arrivés au pôle Nord !
Allez, on commence l'ATTERRISSAGE… »

ÈCOLE

« Atterrissage parfait ! dit Papa, réjoui.
Et en plus, juste à l'heure pour l'école ! »
« On a réussi ! On est trop forts ! »
sourit Petit Pingouin.

« Bonjour maîtresse ! dit Petit Pingouin.
Ce matin, je suis un petit pingouin !
Et on est au pôle Nord !»
« Oui, ce matin,
on est la famille Pingouin ! »
explique Papa à la maîtresse...
qui le regarde d'un drôle d'air.

MENU

« Allez, Petit Pingouin, je pars travailler.
Passe une super journée ! »
« Bisous, mon papa pingouin ! »
répond Petit Pingouin.

Une fois dans la classe,
Petit Pingouin se met à chanter
à tue-tête :
« *Je suis un petit pingouin,*
je viens de très loin loin loin,
moi, ce que j'adore dore dore,
c'est qu'on vive tous au pôle Nord ! »
« Thomas, dit la maîtresse,
viens me voir. »

THOMAS

« Si on vit au pôle Nord, dit-elle,
on pourrait tous dessiner des phoques,
des mouettes, des blocs de glace,
des ours blancs… et surtout des pingouins ! »
« OUIII ! s'exclame Thomas, avec un sourire
encore plus grand que tous les océans ! »

Fin

Mais que fait Patatras ?

Ouh, là là,
quel vent !

Et il se met
à pleuvoir !
Où est Patatras ?
C'est lui qui a
le parapluie !
WOUFFF !

Scénario : Marie-Hélène Gros. Illustration : Tor Freeman.

ATCHOUM
TCHÀ

1

Tchà est dans son bain. Il dit :
« Je suis tout sale, je vais me laver. »

2

Tchà frotte le savon sur sa tête.
« Ma tête fait des bulles » dit Tchà.

3

Tchà frotte le savon sur son ventre.
« Mon ventre fait des bulles » dit Tchà.

Tchà frotte le savon sur tout son corps.
« Je suis un fabricateur de bulles ! »

Tchà a disparu dans les bulles.
« Mon nez picote » dit Tchà.

ATCHOUM !

Et voilà Tchà qui réapparaît.
« Tout propre ! » dit Tchà.

Scénario et illustrations : Jennifer Dalrymple.

La légende d'Hector le lombric

Texte et illustrations : Fortu

Gaspard le hérisson a trouvé
un succulent lombric.
Il en raffole !

Clara la taupe
est tombée
sur un magnifique
ver de terre.
Elle adore ça !

Clara empoigne le ver de terre
et le tire vers elle.
Gaspard attrape le lombric
mais se trouve plaqué au sol.
BOUM !

Surpris par ce ver têtu,
Gaspard reprend le dessus.
Clara ne lâche pas
et se trouve projetée au plafond.
BONG !

Clara ne se laisse pas faire
par ce ver récalcitrant,
elle le tire de nouveau.
Rebelote pour Gaspard
qui se retrouve par terre.
BOUM !

« Non, non, non, je t'aurai ! »
insiste Gaspard.
Clara ne comprend pas,
elle se retrouve à nouveau
au plafond.
BONG !

« Tu es à moi ! » dit Clara.
« Viens par là ! » dit Gaspard.

Et ils tirent, ils tirent
sur le pauvre ver,
chacun de leur côté.
HO HISSE !

Clara, à bout de force,
lâche le ver de terre.
Comment peut-il
être si puissant ?
Gaspard, épuisé, renonce.
Jamais il n'a rencontré
un lombric aussi fort !

Clara s'en va.

Gaspard s'en va.

Et c'est comme ça qu'est née
la légende d'Hector le lombric,
qui terrassa
un hérisson et une taupe !

Fin

AU LIT, PETIT ROND ROUGE !
Texte : Agnès de Lestrade.
Illustrations : Édouard Manceau.

« Petit rond rouge, je t'ai lu un livre, fait dix câlins et cent bisous, alors maintenant, au lit ! » dit Papa. « **Nan !** »

« Petit rond rouge, je te vois,
descends de là ! » dit Maman. « **Nan !** »

« Veux-tu bien venir ici ? »
« **Nan !** »

« Attends que je t'attrape ! »
« **Nan !** »

« Mais où donc
es-tu passé ? »

« Ce n'est plus
l'heure de jouer ! »

« Petit rond rouge, ça suffit !! »
« Coucou, je suis là ! » s'écrie Petit rond rouge.

« Je suis fatigué. Maintenant, je vais me coucher.
Un bisou et à demain, Papa et Maman chéris. »

Fin

Bonne nuit avec Cacahouète, Pouët-Pouët et Patatras

Bonne nuit, les nuages blancs.

Bonne nuit, les nuages gris.

Bonne nuit, le vent.

Bonne nuit, les gouttes de pluie.
plic ploc